쉬운 임당

닥터다이어리

목차

처음임당 1주차

닥터다이어리 실현 가치		04
프로그램 목적		06
닥터다이어리가 제안하는 건강 습관 형성 메뉴얼		08
처음임당 커리큘럼		10
처음임당 1주차	DAY 01. 혈당조절목표 바로알기	12
	DAY 02. 간식에서 단순당 줄이기	24
	DAY 03. 균형식사, 손저울법 활용하기	36
	DAY 04. 식품교환표 활용하기	48
	DAY 05. 매일 자가혈당 측정하기	60
이 책을 만든 사람들		72

닥터다이어리 실현 가치

닥터다이어리

**만성질환관리
헬스케어 플랫폼**

질환은 언제나 외롭고 '혼자'라는 생각이 들게 합니다.
닥터다이어리는 질환자들이 이러한 감정 침체에서 벗어나
일상으로의 회복이 가능하도록 돕고
건강의 가치를 지속적으로 제공할 수 있도록 노력합니다.

닥터다이어리는 만성질환관리 헬스케어 서비스를 기반으로
환자들의 생명 연장 가치를 실현합니다.
당뇨인의 평생관리 파트너로서 모바일 앱을 통한
혈당관리, 질환 정보, 커뮤니티 서비스를 제공하고 당뇨관리에
필수적인 의료기기, 건강식품, 식단 등을 온라인 커머스와
무화당 오프라인 매장을 통해 판매, 개척해 나갑니다.

향후 닥터다이어리는 질환 관리 서비스를 넘어
만성질환을 가지고 있는 사람들의 삶에
필수적인 공존질환 관리 단일 플랫폼으로 발전하고자 합니다.

닥터다이어리 공동창업자 *송제윤, 류연지*

닥터다이어리 어플리케이션

혈당 기록, 식사 기록, 만보기부터 닥다몰, 건강보고서, 코칭 서비스, 유저 커뮤니티 등의 기능을 지원하는 어플리케이션으로 당뇨에 필요한 정보와 서비스를 전부 모아뒀습니다.

닥터다이어리는 앱스토어와 구글플레이스토어에서 다운로드 가능합니다.

프로그램 목적

쉬운임당

엄마를 위한 작은 배려

"설마 내가 임당이겠어?"

설마 했던 임신성 당뇨병 진단은 엄마에게 대단히 충격적인 일이고,
임당은 엄마들이 가장 부정하고 싶은 증상 중 하나입니다.

임당 때문에 사랑스러운 아가에 대한 걱정이 커져만 갑니다.
먹을 것에 대한 고민이 많아지고, 음식 절제는 스트레스로 다가옵니다.
어떤 운동을 해야 할지 정하는 것도 어려운 일인데, 실천은 더 어렵습니다.

그런데 임당은 관리가 필요한 것은 분명하지만,
위기를 기회로 바꿀 수 있는 절호의 타이밍이기도 합니다.
더 건강한 엄마가 되려는 노력은 더 건강한 아이와의 만남을 약속합니다.

본 교재는 그 어느 때보다 건강 관리가 절실해진 엄마를 위해
더 쉽고, 간단한 임당 관리 방법을 알려주기 위해 개발되었습니다.

엄마의 건강, 엄마의 책임감, 엄마의 자존감을 지키며
건강한 식단과 활동적인 생활을 하는 방법을 배우고 실천해 보세요.
건강한 실천을 늘릴수록 걱정은 희망으로 바뀌어 갑니다.

본 교재를 읽는 모든 엄마를 응원합니다.

닥터다이어리 연구소장 *애신민균*

처음임당

임신성 당뇨병 진단은 엄마에게 큰 충격으로 다가옵니다.
엄마의 건강과 뱃속의 아가에 대한 걱정도 크지만,
이제부터 임당을 어떻게 관리해야 할지 막막하다고 합니다.

하지만 임당 관리는 걱정과 불안이 아니라,
엄마와 아가의 건강을 위해 미리 관리한다고 볼 수 있어요.

처음 접하는 임신성 당뇨병의 막막함을 덜어드리고,
임당 관리를 쉽고 간단하게 하는 방법을 알려드리겠습니다.

닥터다이어리가 제안하는 건강 습관 형성 메뉴얼

01 평가하기

당뇨병을 가장 잘 관리하는 방법은 건강한 습관을 하나씩 늘려가는 것인데요. 현재의 건강 습관을 평가해보세요! 혹시라도 문제가 되는 습관이 있어도 걱정하실 필요는 없어요. 나의 건강하지 않은 습관이 무엇인지 아는 것이 건강 습관 형성의 시작이에요!

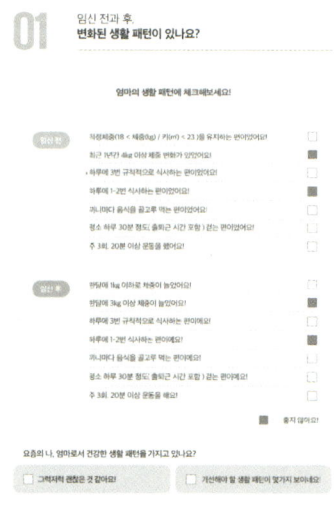

02 조언 받기

건강 습관을 평가했다면, 왜 건강 습관이 필요한지, 그리고 건강하지 않은 습관이 지속될 경우 어떠한 문제점이 있는지 알아보아요!
문제가 무엇인지 알 수 있다면, 문제를 개선하는 방법을 찾아낼 수 있어요!

03 목표 설정하기

매일 하나씩 건강 습관 목표를 세워보세요.
닥터다이어리가 제안하는 건강 습관은 어렵지 않아요.
당뇨병 관리를 위해 반드시 필요한 습관을 조금씩 늘려가다보면 저절로 건강이 개선되어요!

04 도움받기

삶의 다양한 상황 속에서 오늘의 건강 습관 목표를 잘 해낼 수 있는 기술을 습득하고, 건강 습관 형성에 대한 자신감을 가져보세요! 자신감은 건강한 행동의 실천 가능성을 높여줘요!

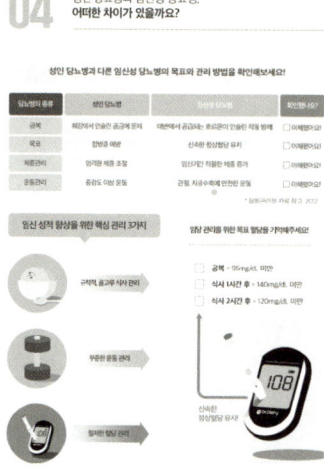

05 미션 도전하기

일상 속에서 건강한 행동을 더 많이 해낼 수 있도록, 닥터다이어리에서 제안하는 미션을 확인해보세요! 그리고 도전할 수 있는 건강 습관에 체크를 해보고, 실제로 그 미션을 수행해보세요! 미션을 훌륭히 해낼 수록 더 건강한 나를 만날 수 있어요!

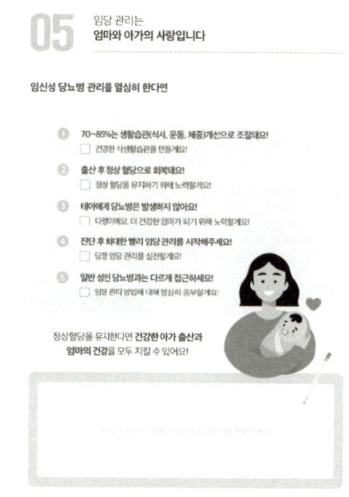

06 건강 습관 완성

처음임당 커리큘럼

1주차

01 갑작스러운 임당, 그리고 나는 엄마
Misson — 혈당 조절 목표 바로 알기

02 엄마의 현명한 선택, 간식 꾸러미
Misson — 간식에서 단순당 줄이기

2주차

06 임당 여정, 가족의 소중함
Misson — 임당 관리, 가족과 함께하기

07 엄마와 아가, 바람직한 체중 증가
Misson — 적정 체중 바로 알기

3주차

11 단짠 NO! 담백 YES!
Misson — 담백하게 먹기

12 더 건강한 식탁, 똑똑한 장보기
Misson — 장보기 전 계획 세우기

4주차

16 고혈당 유발, 스트레스 OUT
Misson — 오롯이 나만 생각하기

17 긴급 상황, 저혈당 SOS
Misson — 저혈당 상황 미리 알고 대처하기

천천히 익히는 임당 습관 4주 챌린지!

03 엄마의 힘, 임당 식사 황금 비율
Misson — 손저울법 활용하기

04 아기에게 골고루, 엄마에게 균형 잡힌 식생활
Misson — 식품교환표 활용하기

05 엄마의 임신 성적, 식후 혈당 관리
Misson — 매일 자가 혈당 측정하기

08 혈당스파이크 예방, 식후 걷기
Misson — 식후 20분 산책하기

09 엄마의 마음, 식이섬유 챙김
Misson — 식이섬유 챙기기

10 혈당의 주적, Smart 당질 관리
Misson — 당지수 활용하기

13 엄마와 아가의 외식, 더 건강한 메뉴
Misson — 외식 전, 미리 음식 메뉴 적어보기

14 뷔페, 슬기로운 선택
Misson — 식이섬유, 단백질 먼저 먹기

15 작은 노력, 가벼운 운동
Misson — 하루 20분, 허벅지 운동하기

18 배변 불편, 지긋지긋한 변비 탈출
Misson — 자주자주 물 충분히 섭취하기

19 출산 후 골든타임
Misson — 건강 행동 습관 유지하기

20 임당 탈출, 건강 습관 유지
Misson — 나만의 건강관리 패턴 찾기

처음임당 커리큘럼

DAY 01
갑작스러운 임당, 그리고 나는 엄마

Mission 혈당 조절 목표 바로 알기

임신이란 축복 속에 사랑스러운 아가 천사를 만났지만,
갑작스러운 신체 변화와 함께 임신성 당뇨 판정 때문에
당황스럽고 불안하진 않으신가요? 하지만 더 이상
혼자 걱정하지 마세요. 근심 걱정은 잠시 내려두시고,
이제부터 닥터다이어리가 임당 관리의 여정을 함께 하겠습니다.

STEP. 01 평가하기

01 —— 엄마의 생활 패턴

임신성 당뇨병 관리는 건강한 식생활 습관을 통해
얼마든지 개선이 가능해요.

엄마의 건강이 곧 아가의 건강이니만큼,
아마도 건강 관리에 더 많은 노력을 기울이고 계시죠?
임신 전과 임신 후의 생활 패턴을 확인해 보면,
건강 목표를 세우는 데 많은 도움이 되는데요.

임신 후, 한 달에 3~4킬로 이상 체중이 늘었거나
하루에 1~2끼 정도만 챙겨 먹고 있다면
생활 습관 개선이 필요한 상황이에요.

더 건강한 임신 기간을 위해,
어떠한 관리가 필요한지 차근차근 알아볼까요?

01 임신 전과 후, **변화된 생활 패턴이 있나요?**

엄마의 생활 패턴에 체크해 보세요!

임신 전

- 적정 체중(18 < 체중(kg) / 키(㎡) < 23)을 유지하는 편이었어요! ☐
- 최근 1년간 4 kg 이상 체중 변화가 있었어요! ■
- 하루에 3번 규칙적으로 식사하는 편이었어요! ☐
- 하루에 1~2번 식사하는 편이었어요! ■
- 끼니마다 음식을 골고루 먹는 편이었어요! ☐
- 평소 하루 30분 정도(출퇴근 시간 포함) 걷는 편이었어요! ☐
- 주 3회, 20분 이상 운동을 했어요! ☐

임신 후

- 한 달에 1 kg 이하로 체중이 늘었어요! ☐
- 한 달에 3 kg 이상 체중이 늘었어요! ■
- 하루에 3번 규칙적으로 식사하는 편이에요! ☐
- 하루에 1~2번 식사하는 편이에요! ■
- 끼니마다 음식을 골고루 먹는 편이에요! ☐
- 평소 하루 30분 정도(출퇴근 시간 포함) 걷는 편이에요! ☐
- 주 3회, 20분 이상 운동을 해요! ☐

■ ···· 좋지 않아요!

요즘의 나, 엄마로서 건강한 생활 패턴을 가지고 있나요?

☐ 그럭저럭 괜찮은 것 같아요!   ☐ 개선해야 할 생활 패턴이 몇 가지 보이네요!

STEP. 02 　조언 받기

02 —— 임신성 당뇨병이란?

임신 중 호르몬의 변화나 체지방 증가로 인해
혈당 조절 장애가 발생할 수 있습니다.

임신성 당뇨병에 진단받았더라도
대부분 출산 후에 사라지지만,
임당 산모의 35%가 출산 후 5년 이내에
당뇨병으로 진행될 수 있습니다.

그렇기 때문에 임당 산모는 임신 기간 동안
더욱 철저한 식생활 관리가 필요해요.

또한 임신 기간뿐만 아니라 출산 후에도
지속적으로 건강 관리를 하는 것이 중요해요.

02 임신성 당뇨병에 대해 알아보아요!

임신성 당뇨병 : 임신 중후반에 발견된 당대사 장애!

'임신 기간 중 호르몬의 변화 및 체지방의 증가'
→ **인슐린 저항성 증가, 인슐린 분비 부족 유발 가능성을 높여요!**

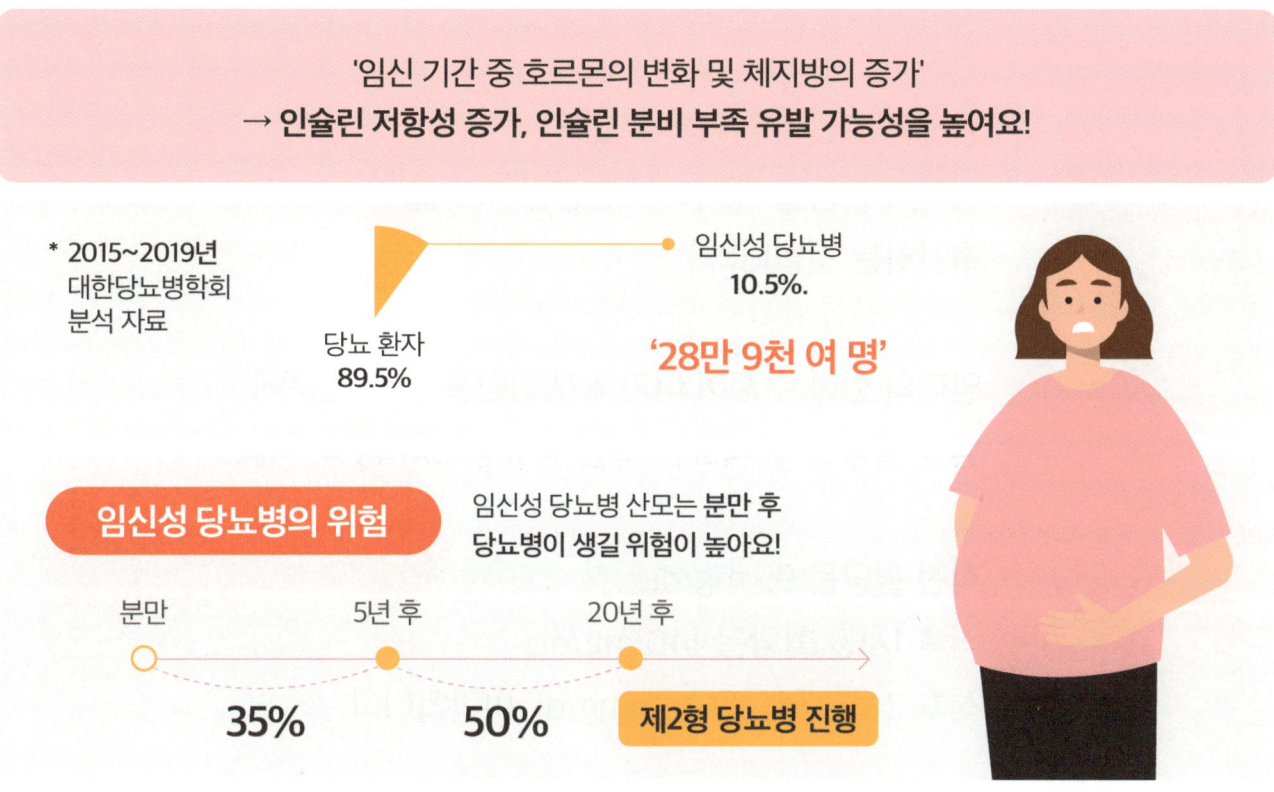

아래의 **임신성 당뇨병 위험 인자 중 해당하는 것**에 체크해 보세요

STEP. 03   목표 설정하기

03 —— 임당, 혈당 관리 목표

임신성 당뇨병 관리의 목표는
엄마의 건강을 유지하며 건강한 아가를
출산하는 것입니다.

엄마의 혈당 수준이 아가에게 영향을 주기 때문에
임당 혈당 조절 목표는 일반 당뇨병보다 엄격한데요.

식전 혈당은 95 mg/dL,
식후 1시간 혈당은 140 mg/dL,
식후 2시간 혈당은 120 mg/dL 미만입니다.

앞으로 혈당 조절 목표는 꼭 암기해 주시고,
매일 식후 혈당을 측정하며 혈당을 잘 관리해 주세요.

03 임당 탈출을 위한 첫걸음으로, '혈당 조절 목표 바로 알기'부터 차근차근 시작하세요!

임당의 혈당 조절 목표는 일반 당뇨보다 기준이 엄격해요!

구분	정상	일반 당뇨	임신성 당뇨
공복	100 mg/dL 이하	110 mg/dL 이하	95 mg/dL 이하
식후	식후 2시간 140 mg/dL 이하	식후 2시간 180 mg/dL 이하	식후 1시간 140 mg/dL 이하 식후 2시간 120 mg/dL 이하

Mission 엄마가 반드시 실천해야 할 핵심 미션 3

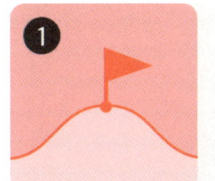
☐ 혈당 목표 수치 암기하기!

☐ 매일 자가 혈당 측정하기! (특히 식후 혈당)

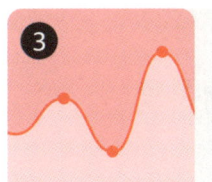
☐ 목표 수치를 위해 철저히 혈당 조절하기!

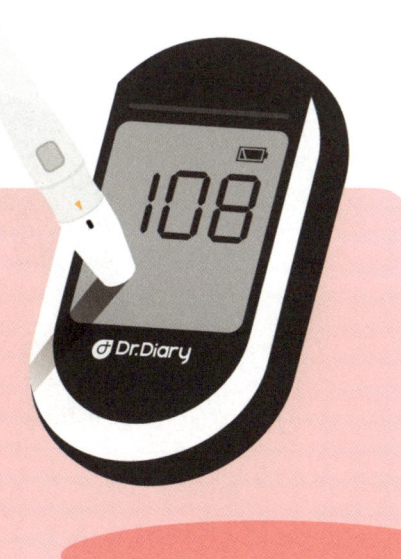

임당 관리를 위한 혈당 조절 목표를 채워보세요!

☐ 공복 혈당 목표　　(　　　　mg/dL)
☐ 식후 1시간 목표　　(　　　　mg/dL)
☐ 식후 2시간 목표　　(　　　　mg/dL)

* 특히 **식후 혈당의 변화 추이**를 세심히 살펴주세요!

STEP. 04 도움받기

04 —— 임당 바로 알기

임신성 당뇨병은 성인 당뇨병과는 성격이 다릅니다.
임신성 당뇨병은 태반의 호르몬이
인슐린 작용을 방해하기 때문에
대부분 출산 후에는 혈당이 정상으로 돌아옵니다.

임신성 당뇨병의 목표는 신속한 정상 혈당 유지인데요.
산모의 고혈당은 태아의 혈당도 상승시키기 때문입니다.

임신성 당뇨병을 관리하는 동안
적절한 체중 증가를 유지해야 하고,
관절과 자궁 수축에 안전한 운동이 필요합니다.

규칙적인 식사, 꾸준한 운동, 철저한 혈당 관리는
엄마와 아가가 더 건강한 임신기를 보낼 수 있게 해줘요.

04 성인 당뇨병과 임신성 당뇨병, 어떠한 차이가 있을까요?

성인 당뇨병과 다른 임신성 당뇨병의 목표와 관리 방법을 확인해보세요!

당뇨병의 종류	성인 당뇨병	임신성 당뇨병	확인했나요?
공복	췌장에서 인슐린 공급에 문제	태반에서 공급되는 호르몬이 인슐린 작용 방해	☐ 이해했어요!
목표	합병증 예방	신속한 정상 혈당 유지	☐ 이해했어요!
체중관리	엄격한 체중 조절	임신 기간 적절한 체중 증가	☐ 이해했어요!
운동관리	중강도 이상 운동	관절, 자궁수축에 안전한 운동	☐ 이해했어요!

* 질병관리청 자료 참고, 2012

임신 성적 향상을 위한 핵심 관리 3가지

규칙적, 골고루 식사 관리

꾸준한 운동 관리

철저한 혈당 관리

임당 관리를 위한 목표 혈당을 기억해 주세요!

☐ **공복** = 95mg/dL 미만

☐ **식사 1시간 후** = 140mg/dL 미만

☐ **식사 2시간 후** = 120mg/dL 미만

신속한 정상 혈당 유지!

STEP. 05 미션 도전하기

05 —— 임당 극복 가능

임신성 당뇨병을 진단받으면
'내가 잘못해서 그런 건가?'
'우리 아가는 괜찮을까?' 같은
근심 걱정이 가득한 마음이 들 수 있어요.

하지만 임신성 당뇨병은 우리 몸에서
엄마와 아가가 더 건강하고 행복하라는
신호라고 볼 수 있어요.

지금부터 잘 관리하면
산모 그리고 아가 모두 건강을 지킬 수 있으니,
아가를 생각하는 마음으로 사랑 듬뿍 담아 관리해 보세요!

05 임당 관리는 **엄마와 아가의 사랑입니다**

임신성 당뇨병 관리를 열심히 한다면

① **70~85 %는 생활습관(식사, 운동, 체중) 개선으로 조절돼요!**
☐ 건강한 식생활 습관을 만들게요!

② **출산 후 정상 혈당으로 회복돼요!**
☐ 정상 혈당을 유지하기 위해 노력할게요!

③ **태아에게 당뇨병은 발생하지 않아요!**
☐ 다행이에요. 더 건강한 엄마가 되기 위해 노력할게요!

④ **진단 후 최대한 빨리 임당 관리를 시작해 주세요!**
☐ 당장 임당 관리를 실천할게요!

⑤ **일반 성인 당뇨병과는 다르게 접근하세요!**
☐ 임당 관리 방법에 대해 열심히 공부할게요!

정상 혈당을 유지한다면 **건강한 아가 출산과 엄마의 건강을** 모두 지킬 수 있어요!

지금 이 순간 아기에게 전하고 싶은 메시지를 적어보세요!

처음임당 1주차　23

처음임당 커리큘럼

DAY 02

엄마의 현명한 선택, 간식 꾸러미

Mission 간식에서 단순당 줄이기

달콤한 간식을 한 입 베어 물 때의 행복은 그리 멀지 않습니다.
하지만 달콤한 음식은 혈당을 급격히 올리기 때문에 멀리해야 하죠.
특히 엄마뿐만 아니라 뱃속의 아가를 위해서도 주의가 필요한데요.
오늘은 혈당 상승의 주범인 단순당에 대해 알아보고,
간식에서 단순당을 줄이는 방법에 대해 알려드리겠습니다.

STEP. 01 평가하기

01 —— 설탕 중독 자가 진단

평소에 단 음식을 즐겨 먹는 편인가요?
우리는 몸과 마음이 힘들 때
단 음식으로 위로받곤 합니다.

하지만 달콤한 행복 뒤에 찾아오는 급격한 혈당 상승이
배 속의 아가에게 해가 되지는 않을까 걱정인데요.

실제로 엄마의 혈당이 높아지면,
태아의 혈당도 높아지기 때문에
혈당을 급격히 높이는 음식은
주의해서 섭취해야 합니다.

만약 '설탕 중독 자가 진단'에서 4개 이상
해당한다면 식습관의 개선이 필요해요!

01 달콤한 간식, **평소에 즐기는 편인가요?**

'나는 설탕 중독일까?' 자가 진단을 해보세요!

1. 물 대신 청량음료 및 단 음료를 더 많이 마시는 편이에요! ☐
2. 누가 초콜릿이나 아이스크림을 먹고 있는 것을 보면 금세 먹고 싶어져요! ☐
3. 식사 후 단맛의 간식을 자꾸 찾게 돼요! ☐
4. 주변에 간식이 항상 놓여 있어요! ☐
5. 가끔 지나칠 정도로 단 음식이 먹고 싶어요! ☐
6. 이유 없이 짜증이 나고 기운 없는 날이 있어요! ☐
7. 하루 중 몸이 축 늘어지고 무기력한 때가 있어요! ☐
8. 스트레스를 받으면 단 음식을 먹어야 직성이 풀려요! ☐
9. 하루라도 단 음식을 먹지 않으면 집중이 안 돼요! ☐
10. 예전과 비슷하게 먹고 있는데도 더욱더 많은 양의 단 음식을 먹고 싶어요! ☐

* **설탕 중독** : 단맛에 심리적, 신체적 의존이 생기는 상태

2개 이하 : 설탕 중독이 아니에요!

4~5개 : 설탕 중독이 의심되네요!

6~8개 : 설탕 중독일 가능성이 높아요! → 식습관 개선이 필요해요!

9~10개 : 심각한 설탕 중독이에요! → 식습관 개선 및 설탕 섭취 제한이 필요해요!

다음 중 설탕 중독의 문제점은 무엇일까요?　　　　　* 모두 설탕 중독의 문제점이에요!

☐ 당뇨, 심혈관질환, 치매의 원인이 될 수 있어요!　　☐ 장내 유해 세균을 유발해요!　　☐ 골다공증이 생길 수 있어요!

STEP. 02 조언 받기

02 ── 단순당(설탕)의 위험성

고혈당 지수인 단순당은 혈당 관리의 적입니다.
교재 오른쪽의 혈당 곡선 그래프를 살펴보세요.
탄수화물은 단백질, 지방에 비해
혈당을 빠르고 높게 올려요.
특히 단순당은 섭취 후 1시간도 안 돼서
혈당을 빠르게 오르내리는데,
이를 '혈당 롤링 현상'이라고 합니다.

고혈당 지수 식품을 섭취하면 고혈당이 유발되며,
과도한 인슐린 분비로 시간이 지났을 때 저혈당 지수 음식을
먹은 상태보다 오히려 더 저혈당 상태에 빠질 수 있어요.

이제 엄마와 아가의 건강을 위해
단순당 섭취를 줄여야 하는 마음의 준비가 되었을까요?

02 단순당의 달콤한 유혹, 무엇이 문제일까요?

단순당 섭취에 대해 특별히 더 신경을 써야 하는 이유는 무엇일까요?

! **탄수화물**은 단백질과 지방에 비해서 혈당을 빠르게 많이 올려요!

특히, **단순당**은 혈당을 빠르게 올릴 뿐 아니라, 빠르게 내리기 때문에 더 조심해야 해요!

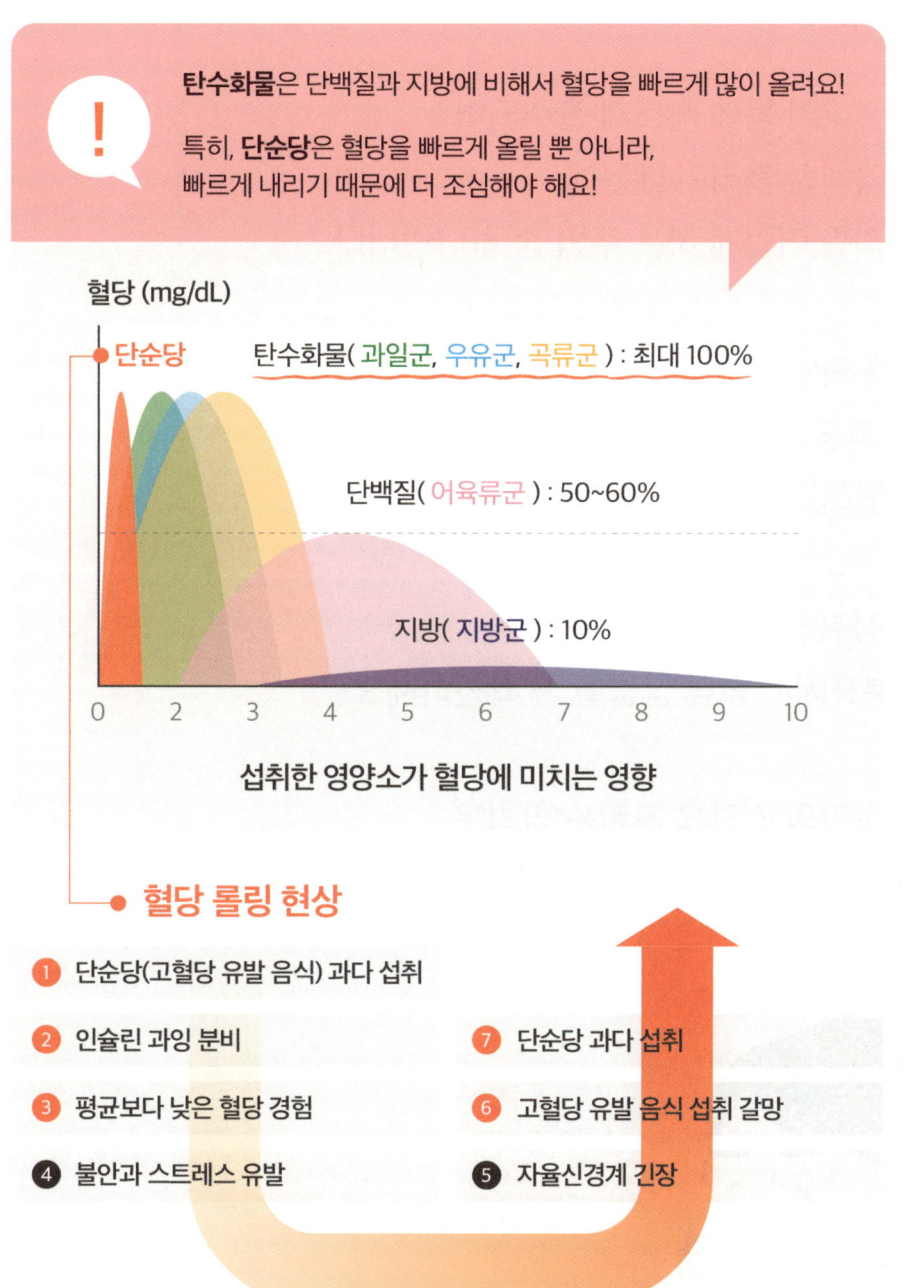

섭취한 영양소가 혈당에 미치는 영향

- 단순당
- 탄수화물(과일군, 우유군, 곡류군) : 최대 100%
- 단백질(어육류군) : 50~60%
- 지방(지방군) : 10%

혈당 롤링 현상

1. 단순당(고혈당 유발 음식) 과다 섭취
2. 인슐린 과잉 분비
3. 평균보다 낮은 혈당 경험
4. 불안과 스트레스 유발
5. 자율신경계 긴장
6. 고혈당 유발 음식 섭취 갈망
7. 단순당 과다 섭취

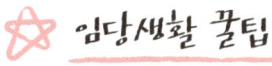 임당생활 꿀팁

TIP

복합당질
포만감을 주고
혈당을 완만하게 올려요!

현미/잡곡/채소/과일 등

단순당질
혈당을 급격히 올리고
비만과 당뇨를 유발해요!

설탕/사탕/과자/초콜릿 등

엄마와 아가의 건강한 성장과 발달을 위해 단순당 섭취를 주의해야 할 마음의 준비가 되었나요?

☐ 네! 단순당, 멀리할게요! ☐ 먹고 싶을 때만 먹을게요! ☐ 단 음식은 못 끊겠어요!

STEP. 03 목표 설정하기

03 ─── 단순당 줄이기

단순당은 우리 몸에 빠르게 흡수되어
혈당을 급격히 올리기 때문에
혈당 관리를 어렵게 하는 주범 중 하나입니다.

단순당을 과잉 섭취하면 아가에게도 치명적인데요.
거대아, 자궁 내 사망, 신생아 호흡곤란증후군 등
이름만 들어도 무서운 상황을 만들 수 있어요.

간식을 섭취하기 전에
영양성분표에서 당류 함량을 꼭 확인하세요!

엄마와 아가의 건강을 지키는 방법은
간식에서 단순당 섭취를 줄이는 거예요.

혈당 롤링 현상을 예방하기 위해
'간식에서 단순당 줄이기'를 추천드립니다!

단순당이 무엇인지 확실히 이해하면, 얼마든지 줄이실 수 있어요!

탄수화물(당질)

단순당(당류)

복합당

 단순당은 체내 분해가 빨라 많이 섭취하게 되면 곧바로 **혈액으로 빠르게 흡수되어 혈당을 올리므로** 주의해서 섭취해야 합니다!

영양정보

총 내용량 200 g
497 kcal

총 내용량당		1일 영양성분 기준치에 대한 비율
나트륨	860 mg	43 %
탄수화물	70 g	22 %
당류	12 g	12 %
식이섬유	2 g	8 %
지방	13 g	24 %
트랜스지방	0.2 g 미만	-
포화지방	7 g	47 %
콜레스테롤	55 mg	18 %

영양성분표의 당류 함량 확인하기

1. 우선 가공식품 구매 시 영양성분표에서 **총 내용량**을 확인하세요!
2. **당류 함량**을 꼭 확인하세요!
3. **1일 영양성분 기준치에 대한 비율**을 따져보면서, 당류 함량이 가장 낮은 제품을 골라주세요!

앞으로 단순당 섭취를 줄일 마음의 준비는 100점 만점에 몇 점인가요?

단순당 섭취를 줄일 마음의 준비 점수는 (　　　)점입니다!

STEP. 04　도움받기

04 —— 무지개 간식 리스트

간식에서 단순당을 줄이고 싶다면,
무지개 간식 리스트를 추천드립니다.

채소, 과일, 견과류, 유제품 등의
천연 식품들을 무지개 색깔로 정리했는데요.
간식이 생각날 때 빨간 체리를,
주황빛 치즈와 초록빛 오이, 하얀 플레인 요구르트
보랏빛 블루베리 등으로 색깔 가득 간식을 즐겨보세요.

무지개 간식의 천연 색깔은 항산화 효과와 면역력 상승에
도움을 주기 때문에 맛과 건강 모두를 챙길 수 있습니다.

오늘부터 영양 만점 간식으로
엄마와 아가에게 천연의 건강을 선물해 주세요!

04 '무지개 간식 리스트'는 간식 선택에 건강을 더해줍니다

무지개 장보기 리스트를 확인해 보시고, 평소 좋아하는 식재료를 선택해 보세요!

토마토 ☐	수박 ☐	사과 ☐	복숭아 ☐	체리 ☐
당근 ☐	파프리카 ☐	오렌지 ☐	치즈 ☐	단호박 ☐
바나나 ☐	망고 ☐	낫토 ☐	호두 ☐	피스타치오 ☐
오이 ☐	양상추 ☐	키위 ☐	셀러리 ☐	아보카도 ☐
잣 ☐	무 ☐	두부 ☐	플레인 요구르트 ☐	양배추 ☐
김 ☐	검은콩 ☐	포도 ☐	블루베리 ☐	비트 ☐

알록달록 색깔을 먹으면 몸과 맘이 건강을 입어요!

라이코펜 - 빨강	베타카로틴 - 주황	클로로필 - 초록	안토시아닌 - 보라	알리신 - 하양
노화 방지 심혈관건강 암 예방	항산화 눈 건강 암 예방	면역력 향상 간 건강 암 예방	기억력 향상 뇌 건강 암 예방	항염 / 항균 심혈관건강 암 예방

STEP. 05 미션 도전하기

05 ── 맛있는 영양 간식

혈당 관리를 철저하게 할 때에도
맛없는 간식만 먹어야 하는 것은 아닙니다.

주위를 둘러보면 그릭 요구르트와 수제 그래놀라 등
맛과 건강을 모두 사로잡은 간식들이 많이 있어요.

단순당 대신 천연 간식을 즐겨 먹는다면
아이는 물론 엄마의 건강에도 좋아요.

토마토에 올리브오일을 뿌려 풍미를 더 하거나,
저지방 단백질인 새우, 설탕이 없는 그래놀라,
통곡물 반쪽, 계란 토스트, 구운 병아리콩,
요구르트와 견과류를 곁들인 바나나 스플릿 등과 같은
영양 간식으로 맛있게 임당 관리하세요!

05 혈당 걱정 없는
맛있는 영양 간식을 소개할게요!

추천 영양 간식 중 자주 애용해보고 싶은 것에 체크해 보세요!

☐ 견과류

견과류는 단백질, 탄수화물, 지방 및 식이섬유가 적절히 들어 있는 건강 간식이에요!

☐ 그릭 요거트

일반 요구르트에 비해 칼슘과 단백질의 함량이 높은 건강 간식이에요! 당이 첨가된 제품은 주의하세요!

☐ 올리브오일을 뿌린 토마토 슬라이스

올리브오일의 풍미와 토마토의 감칠맛이 입맛을 행복하게 해줘요! 항산화와 체중 조절 효과가 있어요!

☐ 새우와 칵테일소스

새우는 저지방 단백질 식품으로 구하기도 쉽고 요리하는 것도 쉬워요! 칵테일소스는 조금만 찍어 드세요!

☐ 수제 그래놀라

오메가3과 식이섬유가 풍부한 맛있는 영양 간식이에요! 설탕과 다른 첨가물이 들어가지 않은 그래놀라를 선택하세요!

☐ 통곡물 토스트에 계란

통곡물 함량이 높은 잡곡 토스트 반쪽에 계란을 곁들이면 식사 대용으로도 손색없어요!

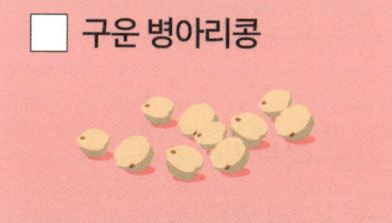

☐ 구운 병아리콩

단백질과 식이섬유가 풍부하고, 감자칩보다 맛있는 영양 간식이에요!

☐ 바나나 스플릿

바나나를 반으로 자른 다음 그릭 요구르트와 견과류로 토핑을 하면 훌륭한 맛의 영양 간식이 완성돼요!

처음임당 커리큘럼

DAY 03
엄마의 힘, 임당 식사 황금 비율

Mission 손저울법 활용하기

지금은 아가의 건강한 성장을 위해 영양가 있는 식사가 필요한 때입니다. 그래서 엄마의 혈당을 안정적으로 해주는 식사가 정말 중요한데요. 어떻게 해야 엄마와 아가 모두에게 좋은 식사를 준비할 수 있을까요? 오늘은 언제, 어디에서든 간단하게 할 수 있는 균형 식사 준비 방법을 알려드리겠습니다.

STEP. 01 평가하기

01 ── 건강하고 균형 잡힌 식습관

임신 중인 엄마는 아가를 위한 영양 식사에
정말 많은 관심을 가질 텐데요.

오른쪽의 '건강하지 않은 식사 습관'을 확인해 보세요!
건강하지 않은 식습관은 줄여 가고,
건강한 식습관은 늘려가는 노력이 필요합니다.

건강한 식습관에 대한 오해도 문제가 될 수 있는데요.

특히 임신 중에는 매끼, 제때, 골고루, 알맞게
챙겨 먹는 식습관은 필수입니다.

식습관 개선을 어디부터 시작해야 할지 어렵다면
담당 코치에게 도움을 요청해 보세요.

01 나와 아기, 우리는 지금 어떤 식사를 하고 있을까요?

'건강하지 않은 식사 습관'에 해당되는 것이 있다면 체크해보세요!

아침 식사는 과일로 먹곤 해요	☐
입덧이 심해서 주스를 자주 마셔요	☐
채소로 요리하는 것이 어려워서 자주 못 먹어요	☐
간단하게 라면, 국수, 우동, 떡볶이 등으로 식사를 때울 때가 있어요	☐
과자, 빵, 음료, 초콜릿 등의 달콤한 간식을 자주 먹어요	☐
아가를 위해 식사할 때 밥양을 늘려서 먹곤 해요	☐

*탄수화물 위주의 식사는 균형식이 아니에요!

'임신 중 건강한 식습관에 대한 오해'에 해당하는 것이 있나요?

하루 한두 끼 식사만으로도 영양섭취는 충분할 것 같아요!	☐
식사 시간이 지연되더라도 언제든 식사를 챙겨 먹으면 괜찮을 것 같아요!	☐
임신 중 식사는 임신 전 식사와 별 차이가 없을 것 같아요!	☐
임신 전 체중을 유지하기 위해 식사량은 줄여야 할 것 같아요!	☐
임신 중인 엄마가 간단하게 식사를 해도 아가의 성장에는 문제가 없을 것 같아요!	☐
임신 기간에는 평소보다 식사와 간식을 더 자주, 더 많이 먹어야 할 것 같아요!	☐

위의 체크리스트에 해당 사항이 많을수록 엄마의 식습관 개선이 필요한 상황이에요.

☐ 훌륭한 것 같아요!   ☐ 그럭저럭 괜찮은 것 같아요!   ☐ 개선이 필요해요!

STEP. 02　조언 받기

02 ── 탄,단,지 건강비율

임당 식사요법에서 탄수화물, 단백질, 지방의
권장 섭취 비율은 50 : 20 : 30입니다.

탄수화물은 피해야 하는 영양소가 아니에요.

탄수화물은 엄마에게 에너지를 주고
아가의 뇌 성장에 필요한 영양소이기 때문에
하루 섭취 열량의 50 %는 섭취해야 합니다.

식사 시 앞접시를 미리 준비해 주세요.

채소를 절반 가득 담고
곡류와 어육류군을 각각 1/4씩 담으면
균형 잡힌 한 끼 식사를 드실 수 있어요.

02 탄수화물(50 %) : 단백질(20 %) : 지방(30 %)
열량 영양소의 건강 비율을 소개할게요!

임당 관리에서 열량 영양소의 권장 섭취 비율을 확인해 보세요!

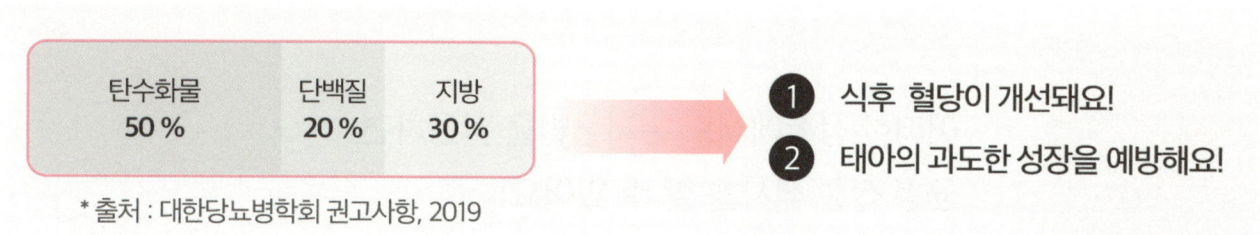

| 탄수화물 50 % | 단백질 20 % | 지방 30 % |

① 식후 혈당이 개선돼요!
② 태아의 과도한 성장을 예방해요!

*출처 : 대한당뇨병학회 권고사항, 2019

50 : 20 : 30, 탄/단/지 건강 비율 맞추는 간단한 방법을 소개할게요!

채소 — 접시에 절반 가득! 충분히 채워주세요

접시에 절반은 채소! 나머지는 곡류와 어육류!
☐ 접시는 지름 20cm 정도 중간 크기면 좋아요!
☐ 칸이 나눠진 식판을 사용해도 좋아요!

곡류 — 접시의 1/4만큼

어육류 — 접시의 1/4만큼

접시 혹은 식판을 활용해서 '탄, 단, 지 건강 비율 식사'에 도전해 볼까요?

☐ 네! 바로 준비할래요!   ☐ 조금 더 알아보고 할래요!   ☐ 지금 식사를 유지할래요!

STEP. 03 목표 설정하기

03 ── 탄,단,지 균형 식사하기

어떠한 상황에서도 손저울법을 활용하면
균형 잡힌 식사를 할 수 있어요!

채소류는 손가락 한 손 가득만큼,
고기, 생선, 달걀, 콩류는 손바닥만큼,
곡류는 손가락 C 모양만큼 챙겨 드세요.

과일은 혈당에 영향을 미치기 때문에
식사 사이에 간식으로 주먹 크기만큼만 섭취하세요.

마지막으로 요리에 사용하는 유지 및 당류는
손가락 한 마디만큼만 되도록 적게 사용해 주세요!

03 영양가 있고, 균형 잡힌 식사를 위해 '손저울법 활용하기'를 강력히 추천드립니다!

균형 잡힌 식사량 조절, '손저울법'으로 쉽게 할 수 있어요!

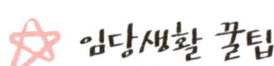

TIP

손저울법
: 손을 이용한 식사량 조절 방법

1. 손쉽게 하루에 필요한 영양소를 적절히 섭취할 수 있어요!

2. 체격과 손의 크기가 비례하기 때문에 성별, 나이에 따른 차이를 고려할 수 있어요!

3. 손저울법을 활용하면 체중 감량에도 효과적이에요!

손저울법, 음식을 먹을 때마다 활용해 보겠어요?

☐ 네! 아주 쉬운 방법이네요!   ☐ 아니요! 아직은 어려운 미션이네요!

처음임당 1주차

STEP. 04　도움받기

04 ── 지중해식 식단 더하기

'손저울법 + 지중해식 식단'은 엄마와 아가를 위한
완벽한 건강 식사가 완성됩니다.

지중해식 식단은 붉은 육류나 버터, 당류는 멀리하고
가금류와 생선, 계란, 유제품은 적당량 먹고
채소와 과일, 올리브오일을 충분히 먹는 식사법입니다.

최고의 건강 식단으로 선정된 지중해식 식단은
고혈당을 예방하고, 혈당 개선에 효과가 있어요.

또한 LDL 콜레스테롤 수치를 낮춰서
심혈관 질환을 예방하며,
비만, 우울감, 노화 예방에 효과가 있어요!

04 손저울법에 지중해식 식단을 더하면 더 건강해요!

지중해 사람들의 식사, 지중해식 식단이란?

지중해식 식단 (최고의 건강 식단 선정)

1. 붉은 육류나 버터, 당류는 멀리!
2. 채소, 과일, 올리브오일은 충분히!
3. 생선, 해산물, 가금류, 계란 및 유제품은 적당히!

다양한 지중해식 식단의 효과 중 나에게 필요한 것에 체크해 보세요!

- ☐ **심혈관질환을** 예방하고 싶어요! — 지중해식 식단은 LDL 콜레스테롤 수치를 낮춰서 심혈관질환을 예방해줘요.
- ☐ **체중 감량을** 하고 싶어요! — 지중해식 식단은 비만 치료제 수준의 체중 감량 효과가 있어요.
- ☐ **우울함을** 극복하고 싶어요! — 지중해식 식단은 뇌를 건강하게 하고, 정신 질환을 낮추며, 우울증에 특히 효과적이에요!
- ☐ **노화를** 예방하고 싶어요! — 지중해식 식단의 항산화 영양소는 세포의 손상을 예방하고 노화 방지에 효과적이에요.

지중해식 식단의 추천 섭취 빈도수 중 할 수 있는 것에 체크해 보세요!

붉은색 육류, 당류
☐ 한 달에 몇 번

가금류, 달걀, 치즈, 요거트
☐ 일주일에 몇 번

생선, 해산물
☐ 일주일에 몇 번

채소, 과일, 통곡물(잡곡), 올리브유
☐ 매일매일

처음임당 1주차

STEP. 05 미션 도전하기

05 ── 지중해식 식단 활용하기

계획이 있는 지중해식 식사는
엄마와 아가를 위한
영양 만점 균형식을 약속합니다.

매끼 통곡물과 채소를 충분히 섭취하고,
과일은 간식으로 1~2번 챙겨 드세요.

올리브오일과 같은 불포화지방산과 견과류를
매일의 식사에 포함해 주세요.

생선과 해산물을 주 2회 이상 섭취해 주세요.

소금과 지방을 줄이고 허브나 향신료로
맛과 건강을 살려보세요.

05 더 건강한 지중해식 식사법을 소개할게요!

더 건강한 지중해식 식사법 중, 할 수 있는 것에 체크해 보세요!

- 올리브오일과 견과류는 과량 섭취할 경우 비만으로 이어질 수 있으므로 적정량만 섭취하기! ☐
- 가금류 및 달걀은 주 3회 이하로 섭취하고, 생선과 해산물은 주 2회 이상 섭취하기! ☐
- 채소는 매끼 2접시 이상 반찬으로 섭취하기! ☐
- 과일은 사과 1/2개, 바나나 1개 등 간식으로 적당량만 섭취하기! ☐
- 건강에 좋은 지방을 섭취하기 위해 버터, 마가린 대신 올리브오일 또는 들기름 사용하기! ☐
- 허브와 향신료는 음식의 맛을 좋게 하고, 소금과 지방 사용량을 줄여 건강에 도움이 되니 매 끼니 사용하기! ☐

추천 지중해식 식품으로 나만의 건강 식단을 구성해보세요!

곡류 — 흰쌀밥 대신에 섬유소가 풍부한 잡곡밥, 통밀빵
- 호밀식빵 2개
- 통밀식빵 2개
- 콩밥 2/3공기
- 현미밥 2/3공기

어육류 — 지방이 적은 생선(≥ 2회/주) 가금류 (껍질 제외, ≤ 3회/주)
- 연어 스테이크
- 토마토 닭가슴살 샐러드
- 허브 레몬 삼치구이

채소류 — 신선하고 항산화 영양소가 풍부한 채소 반찬 매끼 2~3회
- 쌈채소
- 브로콜리 아몬드 볶음
- 쑥갓 두부 무침
- 채소스틱

간식류 — 저지방 우유 및 유제품, 항산화 영양소가 풍부한 과일, 불포화 지방이 풍부한 견과류
- 견과류 반줌
- 그릭요거트
- 사과 1/2개
- 계란 1개

처음임당 커리큘럼

DAY 04
아기에게 골고루, 엄마에게 균형 잡힌 식생활

Mission 식품교환표 활용하기

혈당 관리할 때 식사는 필요한 만큼 섭취해야 합니다.
하지만 식사량 조절, 막상 실천하자니 너무 어렵게 느껴지는데요.
게다가 엄마의 식습관이 아이에게 영향을 줄 수 있다는 생각에
부담을 느낀다면, 걱정하실 필요 없어요. 오늘은 균형 잡힌
식생활을 쉽고 간단하게 할 수 있는 방법에 대해 알려드리겠습니다.

STEP. 01 평가하기

01 —— 균형 있는 건강한 식사

엄마와 배 속의 아가를 위해
매일 건강한 식사를 챙겨야 합니다.

시작하기 전에
건강한 식습관을 잘 실천하고 있는지
확인하는 시간을 가져볼게요.

다음과 같은 식습관을 모두 실천하면
엄마와 아가에게 좋지만,
모두 체크되지 않아도 괜찮아요.
개선이 필요한 식습관은 조금씩 고쳐 나가면 돼요!

01 너무나 중요한 요즘, 건강한 식습관을 잘 실천하고 있나요?

다음의 건강한 식습관 중 실천하고 있는 것에 모두 체크해보세요!

하루 3끼 규칙적으로 알맞게 섭취하는 편이에요. ☐

식이섬유가 풍부한 잡곡과 채소를 충분히 섭취하는 편이에요. ☐

단백질 종류(고기, 생선, 달걀, 콩류)를 골고루 섭취하는 편이에요. ☐

요리할 때 당류(설탕, 꿀, 물엿, 시럽) 등을 덜 사용하는 편이에요. ☐

되도록이면 음식을 싱겁게 먹는 편이에요. ☐

달콤한 간식(사탕, 초콜릿, 탄산음료, 아이스크림) 등을 피해요. ☐

탄수화물 간식(빵, 떡, 고구마 등)을 먹을 때는 밥양을 줄이려 해요. ☐

식사 직후에 과일이나 유제품 섭취는 안 하는 편이에요. ☐

임당 관리를 위해 과학적으로 증명되지 않은 민간요법은 하지 않아요. ☐

술과 담배를 절대로 하지 않아요. ☐

건강한 식습관 체크리스트 중에서 해당하지 않은 식습관이 있다면 엄마와 아가의 건강을 위해 개선이 필요해요!

각 문항당 10점이라면, 건강한 식습관 실천 점수는 100점 만점에 몇점인가요?

나의 건강한 식습관 점수는 (   )점이네요!

STEP. 02　조언 받기

02 ── 식품구성자전거

건강한 식사의 기본은 다양한 음식을 골고루 먹는 것입니다.

균형 잡힌 건강한 식사를 하고 싶다면,
매일 섭취해야 할 5가지 식품군의 양을 표현한
'식품구성자전거'를 활용해 보세요!

식품구성자전거의 뒷바퀴에 있는 5가지 식품군의
하루 섭취 비율과 적정 섭취 횟수를 확인해 보세요.

앞바퀴는 수분 섭취의 중요성으로
매일 7-10컵의 물을 섭취해야 해요.

자전거를 타는 여성의 모습은
꾸준한 운동의 중요성을 나타내요.

02 균형 잡힌 식사의 기본 개념, **식품구성자전거를 소개할게요!**

식품구성자전거를 살펴보세요. 자전거 바퀴 안에 다양한 식품들이 보이나요?

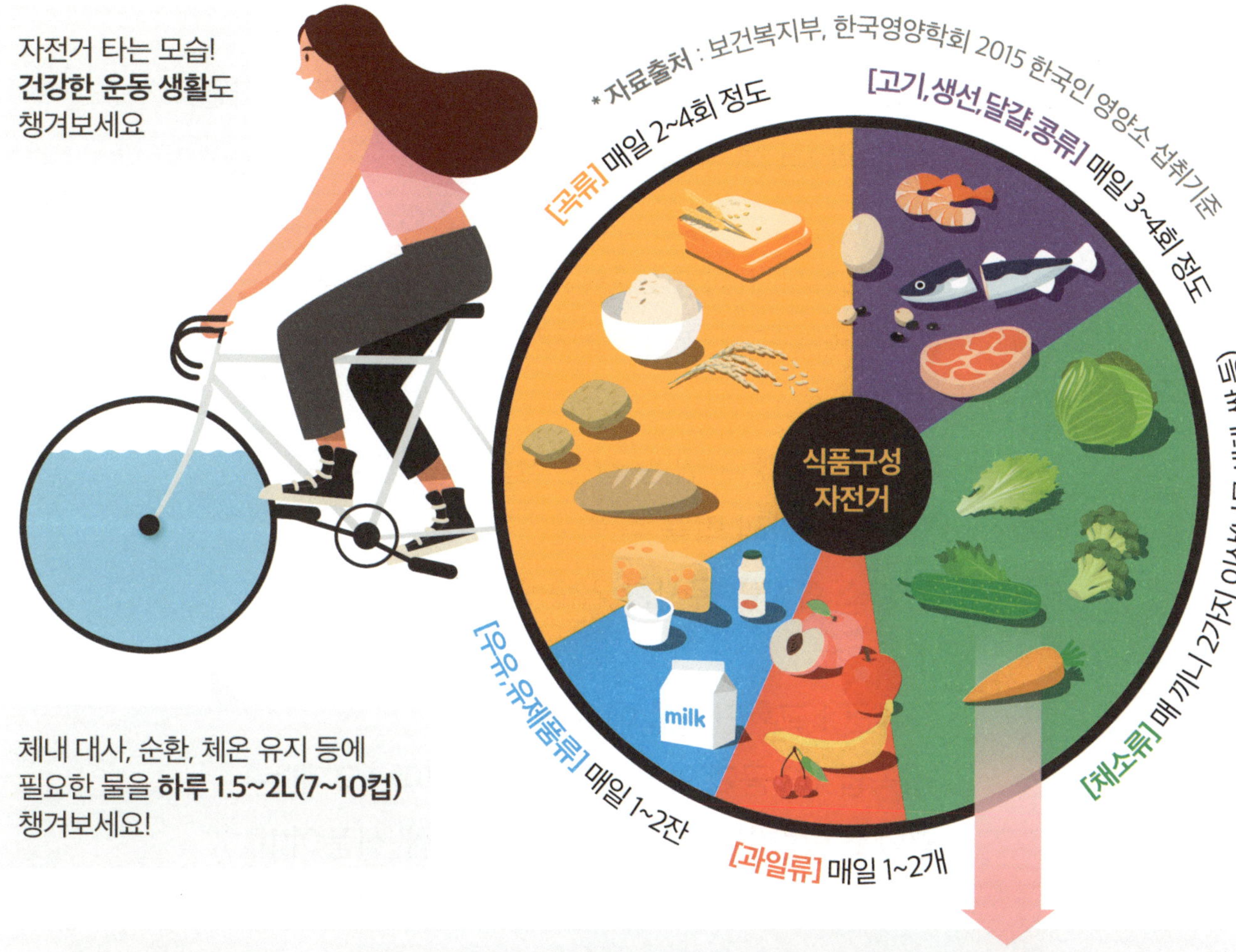

자전거 타는 모습! **건강한 운동 생활도** 챙겨보세요

체내 대사, 순환, 체온 유지 등에 필요한 물을 **하루 1.5~2L(7~10컵)** 챙겨보세요!

*자료출처 : 보건복지부, 한국영양학회 2015 한국인 영양소 섭취기준

[곡류] 매일 2~4회 정도
[고기,생선,달걀,콩류] 매일 3~4회 정도
[채소류] 매 끼니 2가지 이상(나물, 생채, 쌈 등)
[과일류] 매일 1~2개
[우유·유제품류] 매일 1~2잔

식품구성자전거란? "국민 건강 증진 및 질병 예방을 목적으로 개발된 식품 섭취 기준"

5가지 식품군의 섭취 권장량을 자전거 뒷바퀴의 안 면적으로 나타냈어요!
자전거 앞바퀴는 수분 섭취의 필요성, 자전거 타는 모습은 운동의 중요성을 나타내요!

식품구성자전거가 추천하는 건강한 라이프스타일에 도전해 보세요!

꾸준히 운동할게요!

음식을 골고루 먹을게요!

수분 섭취를 충분히 할게요!

STEP. 03　목표 설정하기

03 —— 식품교환표 활용하기

필요한 식품 섭취량에 맞춰 골고루 식사하고 싶다면,
'식품교환표'를 적극 활용해 보세요.

식품교환표란 영양소 구성이 비슷한 식품들을
6가지 식품군으로 나누어 묶은 표입니다.

여기서 '1 교환단위'는 같은 식품군 안에서
자유롭게 바꿔 먹을 수 있는
'영양소 함량이 유사한 기준 단위'인데요.

곡류군 1 교환단위를 예로 들자면,
'잡곡밥 1/3 공기'와 '식빵 1 쪽', '고구마 1/2 개'는
영양소 함량이 유사한 '같은 교환단위' 식품이며,
'바꿔 먹을 수 있다'는 의미라고 생각하면 돼요.

03 필요한 식품 섭취량에 맞춰 골고루 섭취하기 위해 '식품교환표 활용하기'를 강력히 추천드립니다!

식품교환표를 통해 다양한 식품군의 종류와 주요 영양소를 확인해 보세요!

식품교환표는 식품들을 영양소 구성이 비슷한 것끼리 6가지 식품군으로 나누어 묶은 표예요. 같은 식품군 내에서는 자유롭게 바꿔 먹을 수 있도록 설정되어 있어요.

식품군	주요 영양소	구성 영양소	1 교환단위 *같은 식품군 안에서 여러 가지 식품을 서로 바꿔 먹을 때, 기준이 되는 양(접시=지름 16.5cm)					열량 1 교환단위 기준
곡류군	당질	당질 : 23 단백질 : 2 지방 : 0	흰쌀밥 70g (1/3공기) 인절미 50g (3개)	잡곡밥 70g (1/3공기) 식빵 35g (1쪽)	감자 140g (중 1개) 도토리묵 200g (1/2모)	삶은 국수 90g (1/2공기) 고구마 70g (중 1/2개)	밤 60g (대 3개) 비스킷 20g (5개)	100 kcal
어육류군	단백질	당질 : 0 단백질 : 8 지방 : 2~8	살코기 40g 검정콩 20g (2큰술)	멸치 15g 두부 80g (1/5모)	흰살생선 50g (소 1토막) 햄 로스 40g (2장)	물오징어 50g (3/1 몸통) 고등어 50g (소 1토막)	새우(중하) 50g (3마리)	50~100 kcal
채소군	식이섬유 비타민 무기질	당질 : 3 단백질 : 2 지방 : 0	연근 40g 애호박 70g (두께2.5cm)	도라지 40g 오이 70g (중1/5개)	당근 70g (대 1/3개) 표고버섯 50g (대 3개)	단호박 40g (1/10개) 느타리버섯 50g (7개)	시금치 (익혀서 1/3컵) 당근주스 50g (1/4컵)	20 kcal
우유군	단백질 당질	당질 : 10 단백질 : 6 지방 : 2~7	우유 (1컵)	요구르트 (1/2컵)	액상 요구르트 (1개)	치즈 (1장)	두유 (1컵)	70~125 kcal
과일군	당질	당질 : 12 단백질 : 0 지방 : 0	곶감 15g (소 1/2개) 딸기 150g (중 7개)	귤 120g 단감 50g (중 1/3개)	바나나 50g (중 1/2개) 수박 150g (중 1쪽)	배 110g (대 1/4개) 키위 80g (중 1개)	오렌지 100g (대 1/2개) 토마토 350g (소 2개)	50 kcal
지방군	지방	당질 : 0 단백질 : 0 지방 : 5	참기름 5g (1 작은 스푼)	올리브오일 5g (1 작은 스푼)	땅콩 8g (8개)	잣 8g (1 큰 스푼)	호두 8g (중 1.5개)	45 kcal

매일 다양한 식품을 섭취해야 한다는 사실에 동의하시나요?

☐ 네! 완전 동의하고, 다양한 식품을 골고루 먹을게요!

☐ 동의는 하지만, 다양한 식품을 챙겨 먹기가 어려워요!

STEP. 04 도움받기

04 —— 식품군별 교환 단위 확인

엄마의 키와 임신 기간에 따라
하루 필요 섭취량이 달라지는데요.

키가 클수록, 임신 기간이 길수록
엄마의 하루 필요 섭취량은 많아집니다.

하루 필요 섭취량을 먼저 계산하고,
'식품군별 교환단위 수'를 확인해 보세요.

곡류, 어육류, 채소군의 권장 교환 단위를 3끼로 나누면
매끼 섭취해야 하는 교환 단위를 알 수 있어요.

우유군과 과일군은 식사와 식사 사이의
간식으로 필요 교환단위만큼 챙겨 드시면 돼요.

04 식품교환표를 활용한 올바른 식품 선택 요령을 알아볼게요!

하루 필요 섭취량에 따른 식품군별 교환단위 수를 확인해 보세요!

열량(kcal)	곡류군	어육류군	채소군	우유군	과일군	지방군
1500	6	6	7	1	1	4
1600	6	6	7	2	2	4
1700	6	6	7	2	2	4
1800	7	6	8	2	2	4
1900	7	7	8	2	2	4
2000	8	7	9	2	2	5
2100	8	8	9	2	2	5
2200	9	8	9	2	3	5
2300	9	9	9	2	3	5
2400	9	9	9	3	3	5
2500	10	9	9	3	3	5

*출처 : 대한당뇨병학회, 당뇨병 식품교환표 활용지침 제 3판

임당생활 꿀팁

TIP

하루 필요 섭취량을 알아볼까요?

키(cm)	여성 하루 필요 섭취량 (kcal), (성인 여성 기준)
151-155	1400 - 1500
156-160	1500 - 1600
161-165	1700 - 1800
166-170	1800 - 1900
171-175	1900 - 2000

나의 키에 맞는 하루 섭취량에 임신 기간에 따른 열량을 더해주세요!

임신중기 : 성인 여성 하루 필요 섭취량 + 340 kcal

임신후기 : 성인 여성 하루 필요 섭취량 + 450 kcal

현재 나의 하루 필요 열량은 (　　　) kcal에요!

하루 필요 열량에 맞도록 각 식품군의 교환단위 수를 식사에 적용시켜 보세요!

식품교환표에서 같은 군에 속하는 식품은 서로 바꿔서 먹을 수 있어요!

오렌지 1/2개 (100 g) = 사과 1/3개 (80 g) = 바나나 1/2개 (50 g) = 단감 1/3개 (50 g)

토마토 2개 (350 g) = 참외 1/2개 (150 g) = 키위 1개 (80 g) = 귤 2개 (120 g)

* 1교환단위는 열량과 탄수화물 함량이 비슷한 양을 보여주는 단위로 과일 종류에 따라 1교환단위 분량에 차이가 있다는 것을 고려하여 섭취량을 조절하세요.

식품을 교환한다는 의미는 같은 식품군 내에서 같은 교환단위끼리 서로 바꿔 먹을 수 있다는 것을 의미해요!

밥 1/3공기 = 식빵 1쪽 ≠ 고기 40 g ≠ 식빵 2쪽

STEP. 05 미션 도전하기

05 ── 식품교환표 복습하기

이제 식품교환표를 활용해
건강한 식사를 차려볼까요?

처음부터 완벽하게 식단을 짜려고 하면
부담스럽고 힘들 수 있습니다.

우선 각 식품군 별로 필요한 교환단위 수를
3끼 식사와 간식으로 나누는 것으로 시작하세요.

식단이 완성되면 장을 보러 가는 거예요.

매끼 영양가 있고, 골고루 먹기 위해 식품교환표를 활용해서
본격적으로 엄마와 아가를 위한 건강한 식사를 차려볼까요?

05 엄마와 아가의 영양 필요량만큼 건강한 하루 식사를 준비해 보세요!

'식품교환표를 활용한 2,000 칼로리 건강 식사'의 예시를 확인해 보세요!
그리고 내가 좋아하는 건강한 식품으로 매일의 식사를 준비해 보세요!

구분	단위수	아침	점심	저녁	간식
곡류군	8	2 잡곡밥 (2/3공기, 140g)	2 잡곡밥 (2/3공기, 140g)	2 잡곡밥 (2/3공기, 140g)	1 고구마 (소 1개, 70g) / 1 크래커 (5조각, 20g)
어육류군	7	1 연두부 (1/2개, 150g)	1 스테이크 볶음 (쇠고기, 40g) / 1 오징어초무침 (오징어 50g)	1.5 돈육 고추잡채 (돼지고기 60g) / 1.5 동태전 (동태살 75g)	1 삶은 계란 (중 1개, 55g)
채소군	9	1 콩나물국 (콩나물 70g) / 1 미역줄기볶음 (미역줄기 70g) / 1 나박김치 (70g)	2 들깨팽이 버섯탕/스테이크볶음/오징어초무침에 포함된 채소 (버섯, 오이, 당근, 양파, 70g) / 0.5 연근조림 (연근 20g) / 1 청경채나물 (청경채 70g) / 0.5 깍두기 (25g)	1 근대된장국 (근대 70g) / 0.5 돈육고추잡채 (고추, 양파 35g) / 1 마늘쫑볶음 (마늘쫑 40g) / 0.5 배추김치 (25g)	
우유군	2				1 우유 (1컵, 200cc) / 1 두유 (1컵, 200cc)
과일군	2				1 사과 (1/3개, 80g) / 1 딸기 (중 7개, 150g)
지방군	5	1 식용유 (1작은스푼, 5g) 미역줄기 볶음용	0.5 들깨가루 (4g) / 1.5 식용유/참기름 (1.5작은스푼, 7.5g) 연근조림/청경채나물 조리용	2 식용유 (2스푼, 10g) 마늘쫑볶음/동태전 조리용	

2000 kcal 당뇨식단 예시

* 출처 : 대한당뇨병학회, 당뇨병 식품교환표 활용지침 제 3판

식품교환표를 자주 확인하며, 엄마와 아가를 위한 더 건강한 식사를 차려볼까요?

☐ 네! 적극 활용할게요!   ☐ 때때로 활용할게요!   ☐ 어렵네요! (동영상을 한 번 더 시청해보면 어떨까요?)

처음임당 1주차

처음임당 커리큘럼

DAY 05
엄마의 임신 성적, 식후 혈당 관리

Mission 매일 자가 혈당 측정하기

아기의 건강한 성장과 함께 엄마의 혈당 관리까지
챙겨야 해서 부담이 크진 않으신가요?
혈당 측정을 할 때 손이 아파서 피하고 싶지만,
나와 아가의 건강에 꼭 필요합니다.
오늘은 혈당 수치를 정확하게 확인하는 방법을 알려드릴게요.

STEP. 01 평가하기

01 ── 자가 혈당 관리

임당 관리는 규칙적인 혈당 측정이 중요합니다.

하지만 혈당을 측정하는 것이 아프거나 무서워서,
혈당 측정 자체가 스트레스가 되어서,
바쁘거나 깜빡하거나 하는 등의 이유로
혈당 측정을 놓치는 경우도 있을 텐데요.

임당 관리에서 식후 혈당을 측정해야만 하는 이유는
엄마와 아가의 건강 상태를 확인할 수 있기 때문이에요.

혈당 측정을 통해 혈당에 영향을 주는 식사와 간식들,
운동량 및 활동량, 컨디션까지 확인한다면
더욱 효과적으로 혈당 관리를 할 수 있어요!

01 안정적인 혈당 관리를 위해
혈당 측정을 규칙적으로 하고 있나요?

평소 나의 혈당 측정 습관을 되돌아보고, 해당 사항에 체크해 보세요!

- 스트레스를 받지 않으려고 혈당 측정을 거의 하지 않아요. ☐
- 시간이 나거나, 하고 싶은 마음이 들 때만 혈당을 측정해요. ☐
- 혈당 측정 대신 다른 사람들의 음식 섭취 후 혈당 후기를 확인해요. ☐
- 식사 후에 낮잠을 자느라 혈당 측정을 놓칠 때가 자주 있어요. ☐
- 혈당을 측정하는 것이 아프고, 무서워서 잘 안 해요. ☐
- 요즘 너무 바빠서 혈당을 측정할 시간이 없어요. ☐
- 평소 식사량의 절반만 먹고 있어서 혈당 측정은 거의 하지 않아요. ☐
- 외출하거나, 여행 중에는 혈당 측정을 거의 안 해요. ☐
- 달콤한 간식을 먹거나 과식했을 때는 일부러 혈당을 측정하지 않아요. ☐

> ❗ 만약 한 개라도 해당하는 것이 있다면, **혈당 측정 주의보에요!**

아래의 항목을 혈당 수치와 함께 확인, 기록해주세요!

- ☐ 식사 때 먹은 음식들
- ☐ 출출할 때 먹은 간식들
- ☐ 매일매일 컨디션 상태(감기, 피로, 스트레스)
- ☐ 열심히 운동했던 시간
- ☐ 쇼핑, 산책, 아이 등·하원 등 생활 속 활동량

모두 확인하면 더 효과적인 임당 관리가 가능해요!

STEP. 02　조언 받기

02 ── 자가 혈당 측정의 중요성

공복 혈당과 식후 1시간 혈당이 50 mg/dL 이상
차이가 나는 현상인 '혈당 스파이크' 상태는
엄마와 아가 모두의 건강에 위험합니다.

혈당 스파이크는 엄마의 양수과다증,
임신 중독, 조산, 신생아 저혈당 등
아가와 엄마의 건강에 문제를 일으킬 수 있어요!

규칙적인 혈당 측정을 통해
언제, 무엇을 먹었는지 확인한다면
혈당 스파이크가 일어나는 상황을 예방할 수 있습니다.

02 규칙적인 자가 혈당 측정을 통해 '혈당 스파이크'를 예방하세요!

'혈당 스파이크'는 식사 후 혈당이 급격하게 오르내리는 상황을 의미해요!

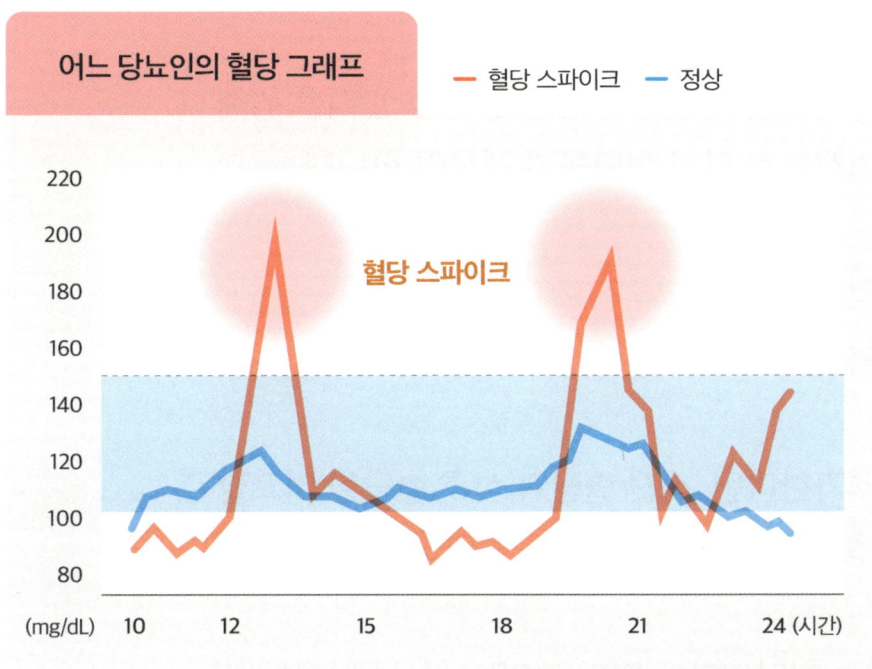

어느 당뇨인의 혈당 그래프 — 혈당 스파이크 / 정상

임당생활 꿀팁

TIP

혈당 스파이크란?

공복 혈당과 식사 후 1시간 내 혈당이 **50 mg/dL 이상** 차이 나는 현상

혈당 스파이크 예방법

규칙적인 혈당 측정을 통해 언제, 무엇을 먹었을 때의 식후 혈당이 많이 올랐는지 확인하는 것이 중요해요!

혈당 스파이크가 자주 일어날 때 엄마와 아가에게 생길 수 있는 위험

양수 과다증	제왕절개 출산	신생아 저혈당
임신 중독증	거대아	신생아 황달
조산	신생아 호흡곤란증	

식사 후 혈당 스파이크 확인 방법을 알아볼게요!

식전 혈당	( )mg/dL
식후 1시간 혈당	( )mg/dL (식사 시작하며 숟가락 든 시간부터 1시간)
식후 1시간 혈당 - 식전 혈당	( )mg/dL

* 만약 50 mg/dL 이상 차이가 난다면 혈당 스파이크를 의심해볼 수 있어요.

처음임당 1주차

STEP. 03   목표 설정하기

03 ── 매일 자가 혈당 측정하기

혈당 스파이크를 예방하고, 건강한 혈당 관리를 위해
매일 정기적으로 자가 혈당을 측정해야 합니다.

혈당 측정은 하루 4~7번 정도가 적당하며,
아침 공복 혈당과 매끼 식후 1~2시간 혈당을 측정해 주세요.

여기에 추가한다면, 식전 혈당과 식후 혈당을 비교할 수
있고, 취침 전 혈당을 측정해 볼 수 있어요.

식후 1시간 혈당이라는 말의 의미는 식사를 시작하며
숟가락을 든 시점으로부터 1시간 뒤라는 뜻인데요.

식사를 시작하는 시간을 기억하고, 식사를 기록하는 습관은
혈당 관리를 더 세심하게 할 수 있는 핵심 습관이에요!

03

혈당 스파이크를 낮추고, 건강한 혈당 관리를 위해
'매일 자가 혈당 측정하기'를 강력히 추천드립니다.

혈당 관리를 위한 자가 혈당 측정 횟수는 '하루 4~7번'을 추천드려요!

새벽 또는 아침 저혈당 예방을 위해 측정해보세요!

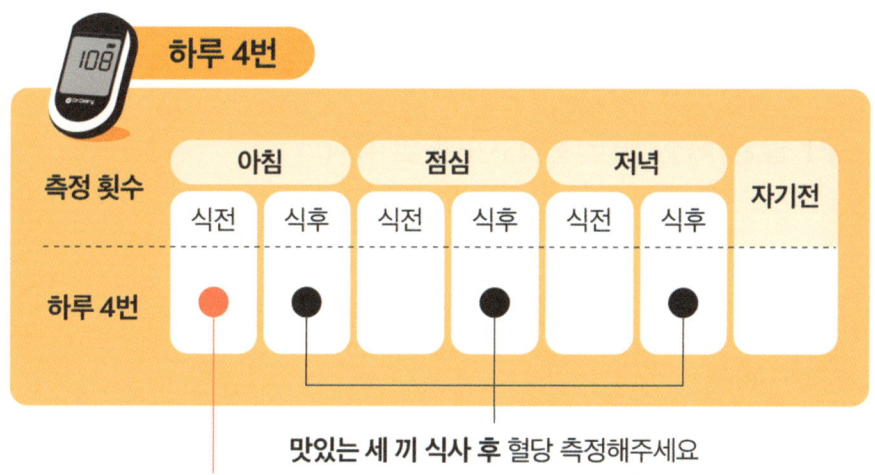

맛있는 세 끼 **식사 후** 혈당 측정해주세요
아침 식사 전 공복 혈당 측정으로 하루를 시작해 보세요

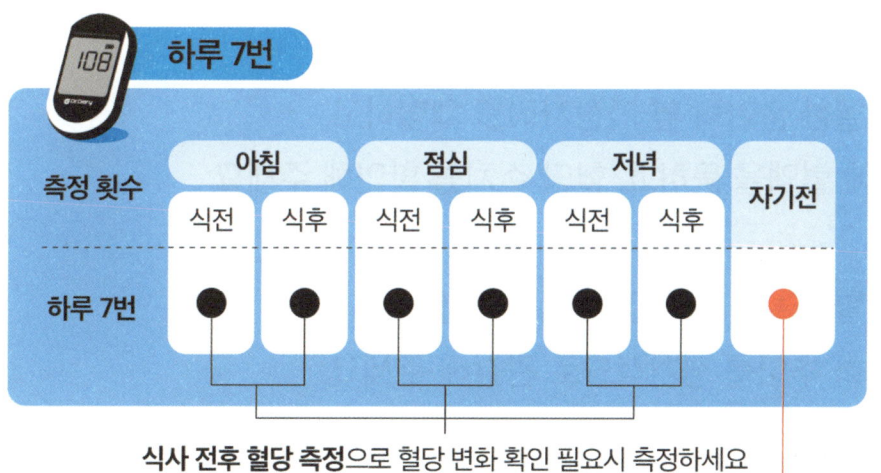

식사 전후 혈당 측정으로 혈당 변화 확인 필요시 측정하세요
새벽 또는 다음 날 아침 저혈당 위험 등으로 필요시 측정하세요

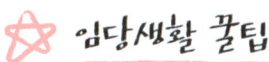

TIP

자가 혈당 측정 횟수

혈당검사는 보통 하루에 **최소 4번이 권장**되며, 필요시 하루 7번의 혈당 측정을 해야 할 수도 있어요.

식후 2시간 혈당, 정확한 2시간의 의미는?

식사를 시작하며 **숟가락을 든 시점으로부터 2시간 뒤의 혈당**을 뜻해요.

임당 관리에 중요한 자가 혈당 관리를 위해 나 자신과 약속해보세요!

- [ ] 식사 시작과 동시에 2시간 알람을 맞춰놓을래요
- [ ] 혈당으로 불안하지 않게 식후 혈당 기록 챙길래요
- [ ] 병원에서 권장한 횟수에 맞게 혈당 측정할래요

STEP. 04 도움받기

04 ── 올바른 자가 혈당 측정 방법

정확한 혈당 수치를 확인하려면
올바른 자가 혈당 측정 방법을 알아야 합니다.

먼저 따뜻한 물과 비누로 손을 깨끗이 씻고
완전히 말려주세요.

충분한 혈액을 모으기 위해 채혈할 손을
아래로 늘어뜨리거나 손끝을 가볍게 마사지해 주세요.

통증이 덜한 손가락 옆 가장자리를 채혈하고,
시험지에 혈액을 묻히고, 혈당 수치를 확인해 주세요.

측정한 혈당을 노트나 앱에 기록해서
혈당 변화 추이를 정기적으로 관찰해 주세요.

04 정확한 혈당 수치 확인을 위해
올바른 자가 혈당 측정 방법을 확인해 주세요!

올바른 자가 혈당 측정 방법 중 바로 실천할 수 있는 항목에 체크해 보세요.

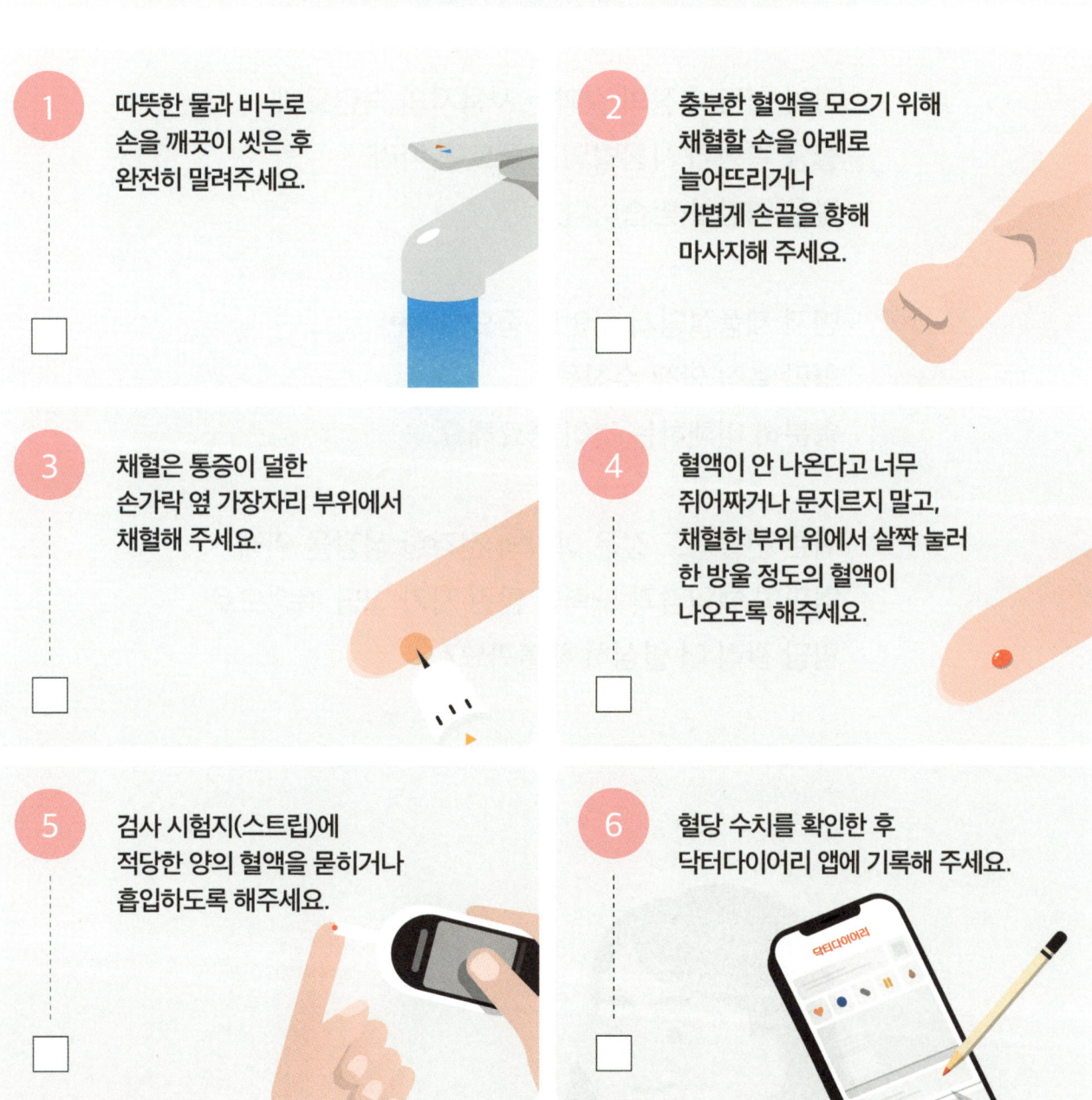

1. 따뜻한 물과 비누로 손을 깨끗이 씻은 후 완전히 말려주세요.
2. 충분한 혈액을 모으기 위해 채혈할 손을 아래로 늘어뜨리거나 가볍게 손끝을 향해 마사지해 주세요.
3. 채혈은 통증이 덜한 손가락 옆 가장자리 부위에서 채혈해 주세요.
4. 혈액이 안 나온다고 너무 쥐어짜거나 문지르지 말고, 채혈한 부위 위에서 살짝 눌러 한 방울 정도의 혈액이 나오도록 해주세요.
5. 검사 시험지(스트립)에 적당한 양의 혈액을 묻히거나 흡입하도록 해주세요.
6. 혈당 수치를 확인한 후 닥터다이어리 앱에 기록해 주세요.

! 혈당측정값 오류 주의하기!

1. 손가락의 피를 일부러 짜지 마세요
   손가락을 짜면 세포조직이 함께 나와 혈액이 희석되어 측정 결과에 영향을 줄 수 있어요

2. 감염을 막기 위해 알코올 솜을 이용하여 닦고 완전히 건조한 후 채혈하세요
   손에 남아있는 물, 알코올, 땀, 로션, 당분 등은 혈당 측정값에 영향을 줄 수 있어요

처음임당 1주차

STEP. 05 미션 도전하기

05 ── 자가 혈당 측정 주의사항

자가 혈당 측정의 결과는 사용자의 숙련도와
혈당 측정기 사용법의 이해도에 따라
많은 영향을 받습니다.

먼저 제품설명서 확인도 중요하지만
혈당 측정 안전 수칙을
충분히 이해하는 것이 중요해요.

귀한 선물과도 같은 아가의 건강한 성장을 위해,
엄마의 책임감과 노력이 담긴 자가 혈당 측정으로
임당 관리 더 열심히 해볼까요?

05 정확한 자가 혈당 측정을 위한 주의 사항을 확인해 보세요!

혈당 측정의 오류를 주의하세요!

혈당 측정 결과의 정확성은
- ☐ 사용자의 숙련도와 혈당 측정기의 성능 등과 관계가 있어요.
- ☐ 사용 전에 반드시 제품 설명서를 읽고, 충분히 이해해야 해요.

1. 혈당 측정 검사지가 구부러지지 않도록 주의하세요

혈당 측정 검사지를 혈당 측정기 삽입구 끝까지 밀어 넣으세요

2. 혈당 측정 검사지 표적 부위에 1~2방울의 혈액을 묻혀주세요

혈당 측정기의 검사지 삽입 부분에 흙, 먼지, 혈액들이 들어가지 않도록 깨끗이 유지하세요

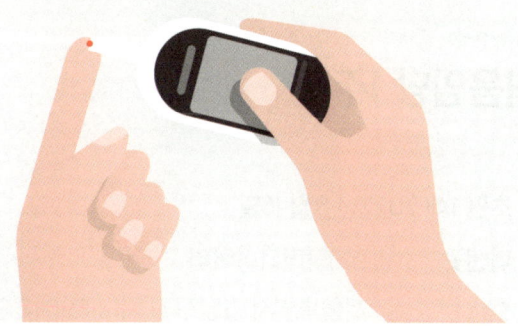

혈당 측정 안전 수칙 확인 후, 실천 가능한 항목에 체크해 주세요!

- ☐ 혈당을 측정한 값이 이상하거나 의심되면 전문의에게 문의하세요
- ☐ 사용된 혈당 검사지와 채혈침은 안전한 곳에 버려주세요
- ☐ 같은 자리만 채혈하면 아프고 굳은살이 생길 수 있으므로 손가락 가장자리를 돌아가면서 채혈하세요
- ☐ 신체 부위에 따라 혈당값이 달라질 수 있으니 의사와 상의 없이 손가락이 아닌 부위에 임의로 채혈하지 마세요
- ☐ 세균 등의 감염을 막기 위해 채혈침은 반드시 본인만 사용하고 일회용 채혈침은 재사용하지 마세요
- ☐ 사용 기한을 확인하고 유통기한이 지난 검사지는 사용하지 마세요
- ☐ 제품 설명서를 확인하고 저장 방법 및 사용 기한에 따라 보관/유지해 주세요

이 책을 만든 사람들

처음임당 1주차

초판 1쇄 2022년 8월 15일

펴낸곳	(주)닥터다이어리
주소	서울특별시 강남구 대치동 890-8 연봉빌딩 8층 (주)닥터다이어리
전화	02-2135-2098
홈페이지	www.drdiary.co.kr

이 책을 만든 사람들	총괄	이산인군
	콘텐츠 제작 및 기획	김연수 / 박세연 / 임사라 / 김은혜
	편집 · 디자인	박길주
	영상 촬영 및 편집	김현민 / 양세윤 / 임태균

등록 제 2022-000210호

정가 26,000원 (4권 1세트) / 낱권 6,500원

ISBN 979-11-92593-09-8

ISBN 979-11-92593-08-1 (세트)

* 본 교재의 저작권은 (주)닥터다이어리에 있습니다.
본 교재의 내용의 전부 또는 일부를 재사용하려면 반드시 저작권자의 서면 동의를 받아야 합니다.